LAS AVENTURAS DE ARTIE Y ZAC

JUDEH SIMON

A mi familia,

por abrir mis ojos a un mundo mágico.

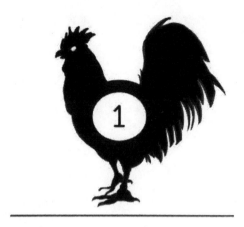

Cuando yo era más joven, mi papá solía compartir historias de sus viajes a lugares maravillosos y extraños. Me contaba fábulas de aventuras que él vivió antes de que yo naciera. Pero, los sucesos que papá mencionaba en sus cuentos no podían ser reales: ¿...dragones que hablan? ¿...hadas? ¿...magia?

Esas historias yo las creí cuando era niñito, pero ahora soy mucho mayor. Y no creo que tales cosas realmente existan.

Mi nombre es Zac. Tengo ocho años. Vivo con mi papá, en un vecindario *generalmente* tranquilo en la ciudad de San Francisco. Los vecinos *pocas veces* se quejan de todos los ruidos extraños que surgen del interior de nuestro garaje.

Papá es un inventor. Él pasa la mayoría de sus días, y unas cuantas noches, trabajando en su taller, el cual se

encuentra dentro de nuestro garaje. Martillando, serruchando, perforando, y martillando un poco más.

Yo paso la mayoría de mi tiempo en la escuela. Mi clase favorita es el recreo. También me gusta la hora del almuerzo. ¡Es como un recreo, pero con comida!

Mi clase menos favorita es la clase de matemáticas. Afortunadamente, ya no tendré que preocuparme por la matemática por un buen tiempo. Hoy fue el último día de clases.

Papá y yo estamos a punto de embarcarnos en unas largas vacaciones de verano.

Papá planeó nuestras vacaciones en secreto desde su taller. No me ha dicho nada acerca de adónde vamos.

"¡Por la cera de los oídos del gran mago, ya estamos listos!" dijo papá.

Salió de su habitación con sus artículos de aseo en una caja.

"¿Ya limpiaste tu habitación?" agregó.

"Sí, ya casi está limpia," le contesté.

Eché un último vistazo alrededor de mi habitación. Mis libros escolares estaban organizados sobre los estantes de mi escritorio. Mi patineta, mi bate de béisbol y mis artículos de arte, estaban bien escondidos, pero no tan bien organizados, debajo de mi cama.

Levanté mi mochila sobre mi hombro y corrí a localizar a papá. Lo encontré afuera, en frente del garaje.

"¿Y el coche?" le pregunté.

"¿El coche? ¿El coche?…oh sí, nuestro transporte está en el garaje," contestó papá.

"¿Vamos a manejar hacia nuestro destino?" pregunté.

"No exactamente - no si puedo evitarlo," papá abrió la puerta del garaje. "Construí un medio de transporte alternativo para nuestro viaje en mi tiempo libre."

"Espérame aquí," agregó, "a las hadas no les gustan las interrupciones ni los visitantes."

Papá no habla con mucho sentido. Aprendí a seguirle la corriente cuando menciona hadas, magos o dragones.

Entró solo a su taller y regresó después de unos minutos, arrastrando una cesta de mimbre con unas cuerdas atadas a la cesta.

"Vamos a viajar en esto," dijo papá. "Ayúdame a moverlo hacia la acera."

Corrí a ayudarle, aún confundido en cuanto a cómo una simple cesta de mimbre sería nuestro transporte.

Arrastramos la cesta juntos. Observé que las cuerdas estaban atadas a un globo desinflado de color rojo.

"¡Es un globo de aire caliente!" grité. "¡¿¿¿Vamos a viajar en un globo!?!?"

"No te preocupes," dijo papá, "las hadas me aseguraron que es un modo de transporte seguro."

Por loco que parezca, los inventos de papá siempre funcionan. Una vez, construyó un barco hecho de cartones de leche, el cual usamos para atravesar un lago.

Terminamos de cargar nuestro equipaje en la cesta y saltamos en la misma. Papá encendió los quemadores. El globo comenzó a inflarse de aire caliente. Cuando el globo se llenó, comenzamos a elevarnos.

"¡Estamos volando!" grité.

Un par de vecinos corrieron a sus ventanas para ver más de cerca el enorme aparato frente a nuestro garaje. Los saludé con un poco de vergüenza. Los perros del vecindario ladraban ante toda la conmoción.

"Asegúrate bien," dijo papá, "está a punto de temblar más que las ráfagas del destino."

Nos elevamos más alto. Me sujeté de una cuerda y miré hacia abajo.

"Que pequeño se ve todo," dije en voz baja.

Papá nos guió más arriba, lejos de las casas y los árboles.

Al asegurarse de que ya no había más obstáculos, papá colocó su mano en el bolsillo de su abrigo y sacó una brújula brillante. La sostuvo en la palma de su mano.

"Vientos de dragón no me fallen ahora," murmuró, y luego continuó con un tono lleno de confianza: "Los vientos a esta altura soplan hacia el sur. Nos empujarán en la dirección correcta."

El globo cruzó el cielo azul tranquilamente.

Papá guardó la brújula en su bolsillo antes de que yo pudiera inspeccionarla más de cerca.

De repente, una inesperada ráfaga de viento nos empujó hacia un banco de niebla.

"AHHH…" grité. "¡No veo nada a través de esta niebla tan espesa!"

Papá mantuvo la calma y buscó en su bolsillo de nuevo. Volvió a revelar su brújula, la cual brilló más y más hasta que un rayo de luz brotó de ella. El rayo de luz atravesó la niebla, guiándonos como un faro, en la dirección correcta.

"No hay necesidad de preocuparse," dijo papá, "lo mismo me pasó en el mar de ecos."

"Papá - ¿De dónde sacaste esa cosa?" mis ojos estaban fijos sobre su brújula.

"Fue un regalo de un jinete noble," respondió, "estamos a salvo."

El cielo se volvió color azul de nuevo.

"Estamos volando sobre un bosque," miré hacia abajo.

"¿Por qué no aterrizamos aquí, eh?" respondió papá.

Aterrizamos el globo junto a un campo de flores silvestres, al borde del bosque. No fue el aterrizaje más suave, pero sobrevivimos.

"Nuestro nuevo hogar durante el verano está más adelante," dijo papá.

"Mi amiga nos encontrará junto al puente levadizo," papá señaló hacia un viejo castillo gris al borde del campo de flores.

Evacuamos la cesta, estiramos las piernas y comenzamos a caminar hacia la fortaleza.

El castillo era muy viejo. Tenía marcas de garras sobre una de las paredes, como si un animal enorme lo hubiera golpeado. Por otro lado, observé marcas de humo y daño por fuego.

"Papá," tomé una pausa… "¿Quién vive aquí?"

"Es una sorpresa," dijo papá con una sonrisa.

"Además, ella no vive dentro del castillo. No, ella no entraría por la puerta. Simplemente le gusta vivir en esta zona."

De repente, sentí fuertes ráfagas de viento soplando a través de mi cabello.

"Ya llegó," gritó papá con un tono demasiado dramático, anunciando la llegada de su amiga.

Levanté mi vista hacia arriba y vi un enorme dragón volando sobre nosotros. El aleteo de sus enormes alas controló su descenso. Poco a poco, la dueña de casa aterrizó en frente de nosotros.

"Que bueno es verte de nuevo Esmeralda," dijo papá.

"A ti también, viejo amigo," dijo el dragón.

Yo me quedé incrédulo. Mi boca estaba completamente abierta. Un enorme dragón parlante estaba frente a mí.

"Esmeralda tiene que mudarse a las montañas congeladas por un tiempo para dar a luz a sus bebés," dijo papá, "y yo me ofrecí para cuidar su hogar por el verano, hasta que ella vuelva."

No recuerdo muy bien cuánto tiempo estuvo allí el dragón. Ellos hablaron por horas, o tal vez fueron solo unos minutos. Yo solamente me quedé parado allí, mirando al increíble dragón frente a mí.

¡Nuestras vacaciones de verano tuvieron un gran comienzo! El asombro de ver un dragón en la vida real finalmente pasó. Ahora, yo gasto la mayoría de mis días explorando el castillo, encontrando pasadizos escondidos y descubriendo habitaciones secretas. Papá pasa largas horas rebotando entre la biblioteca y su sala de estudios. Ambos estábamos resueltos a aprender tanto como sea posible sobre este lugar y su historia.

"Esta mañana voy a explorar la torre del castillo," le dije a papá.

"*Mmmhh*," gruñó papá, sin levantar la vista de su libro. Una señal que todavía no había tomado su café matutino.

Corrí por el pasillo hacia las escaleras, pero antes de subir, me llamó la atención una gran bocina que descansaba sobre una mesa. He visto estas cosas antes en museos. Esta bocina estaba tallada de un cuerno de algún animal muy grande.

La levanté y soplé sobre la boquilla. Produjo un fuerte chillido que resonó a través del pasillo. Fue como si alguien hubiera gritado utilizando cien megáfonos al mismo tiempo.

Ligeramente lancé la bocina de regreso a su mesa y me tapé los oídos. Cuando el zumbido en mis oídos cesó, me alejé de la bocina y subí las escaleras hacia la torre del castillo.

En lo alto de las escaleras había un enorme espejo parcialmente cubierto con una tela oscura. Era casi tan alto como el techo. Quité la funda de tela.

"AHHH," mi reflejo distorsionado en el espejo me tomó por sorpresa. El espejo estaba deformado de tal manera que me hizo aparecer muy alto, como un gigante.

Después del susto, comencé a practicar mis movimientos de karate frente al espejo. Mi reflejo gigante se veía muy fuerte y amenazador.

Todavía jugaba frente al espejo cuando escuché los pasos de papá. Caminaba por el pasillo hacia la cocina.

Corrí de nuevo hacia abajo, a recordarle acerca de las gallinas.

"Papá," grité.

"MÁS CAFEEEE," gimió papá con su voz seca matutina.

Una bandada de gallinas salvajes se había mudado a la cocina un poco después de nuestra llegada. Posiblemente debido a todos los granos que dejamos caer sobre el piso constantemente. O quizás les gustaba nuestra compañía.

"No olvides, las gallinas están en la cocina...," comencé a advertirle. Pero antes de que pudiera terminar, escuché un ruido de ollas metálicas, seguido por una caída, y finalmente un silencio.

Lo más probable es que papá asustó a las gallinas. Esto a su vez lo asustó a él, lo cual le hizo tropezar y caerse.

Esto se está convirtiendo en suceso diario.

"Las gallinas están a salvo," gritó papá desde la cocina. "Yo también estoy bien."

Eran unas gallinas muy tercas. A papá le había tomado un buen tiempo descubrir la forma de cómo deshacerse de ellas. Tras mucha prueba y error, finalmente había encontrado una receta en uno de los libros de magia de la biblioteca.

Estofado de baratijas, le llamó. Olía fatal. Pero su olor era lo único que mantenía alejadas a las gallinas.

"¡Paciente monje viejo, siéntete orgulloso! Voy a preparar un estofado de baratijas," dijo papá. "¿Le quieres ayudar a este mago novato?"

"No, gracias," me tapé la nariz para recordarle a papá que no podía soportar el olor de su estofado. "Mejor voy a jugar afuera."

Huí rápidamente del castillo.

De todos modos, no tenía sentido preparar el estofado de baratijas porque las gallinas volverían al día siguiente y todo el ritual comenzaría de nuevo.

Afuera, flores silvestres y pastos altos cubrían los campos. Obviamente era el lugar favorito de Esmeralda. Sus huellas gigantes formaron varios cráteres en el barro. Sin duda, aquí afuera, era el mejor lugar donde perder el tiempo cuando el castillo olía a estofado de baratijas.

"Ojo al frente," grité mientras corría hacia una de las huellas.

Salté y caí dentro de su cráter.

"ROOOAK," croaron unas cuantas ranas asustadas.

Las cuales saltaron en todas direcciones, abandonando sus hogares para luego dirigirse hacia los estanques.

"Siento mucho haberlas asustado," me disculpé.

Salí de la huella, limpié el barro de mis zapatos contra la hierba y me dirigí a una cabaña cercana.

Por la cabaña, atado a uno de los postes, encontré a mi nuevo compañero.

"¡Alex!" grité con emoción.

Alex es mi corcel mecánico. Es uno de los inventos más recientes de papá.

Papá construyó a Alex usando partes de un caballo de

juguete, una bicicleta vieja y unos engranajes de metal.

"Vamos a dar una vuelta," dije, y tomé las riendas.

Subí sobre el asiento y comencé a pedalear. Las ruedas entre sus piernas empezaron a girar y comenzamos a movernos.

Cabalgamos hasta el borde del bosque, dejando un rastro de polvo detrás de nosotros.

Nos detuvimos unos momentos para recuperar el aliento.

Un sonido me sorprendió.

"OOOUUWW," gritó repetidamente una voz misteriosa desde el interior del bosque.

"Qué aullidos tan tristes," susurré. "¿Quién podría estar causándolos?"

Até a Alex a un árbol cercano. "¡Alguien puede necesitar ayuda!"

Caminé hacia el bosque, en dirección a los aullidos.

Entré al bosque con timidez.

Las copas de los árboles eran muy espesas. Muy poca luz de sol llegaba al interior del bosque, pero mis ojos poco a poco se adaptaron a la oscuridad.

Me abrí paso entre telarañas y las ramas enredadas de los árboles.

"Es por aquí," susurró una voz suave cerca de mi oído.

"Date prisa," dijo otra voz.

"¿*Quiénes* son ustedes?" pregunté. "¿Y *dónde* están?"

Busqué a mí alrededor pero no vi a nadie.

"Aquí," llamó una de las voces, "somos las hadas del bosque."

Agitando sus alas, se acercó a mí.

"¡Ustedes existen!" grité con alegría. "Papá siempre me habla de ustedes."

Por fin, al ver con mis propios ojos a las famosas hadas de papá, confirmé de una vez por todas que sus historias eran auténticas.

"¡Encantada de conocerte, Zac!" dijo el hada. "Hemos escuchado mucho sobre ti a través de los años."

Más y más hadas volaron hacia mí y se unieron a su grupo. El bosque se llenó de pequeñas luces brillantes.

"Que increíble…," dije mientras me detuve brevemente para ver el asombroso espectáculo de luces volando sobre mí.

"Él necesita tu ayuda," dijo una de las hadas, "síguenos."

Seguí a las pequeñas luces a través de las ramas enredadas.

"Gracias por iluminar el camino," dije. "¿Hay alguien en problemas?"

"De prisa," dijeron las hadas mientras volaban más rápido.

Corrí detrás de ellas. Llegamos a la entrada de una cueva.

"Ahí, adentro," señalaron las hadas, antes de dispersarse entre las copas de los árboles.

Los tristes aullidos se originaban del interior de la cueva.

Antes de entrar, recogí una rama rota de un árbol cercano.

"Esto me ayudará en caso de cualquier problema."

Sin hacer mucho ruido, entré a la cueva. Muchas antorchas de fuego alineaban las paredes. Saqué una antorcha de su anillo de soporte y me la llevé conmigo para iluminar el camino.

Armado ya con mi bastón de combate y mi luz brillante, me sentí muy preparado para seguir adelante.

Adentro, encontré unas jaulas de pájaro vacías esparcidas por todo el suelo.

"Esto es extraño," susurré.

De repente, escuché el aullido de nuevo. Esta vez, se sintió mucho más cerca. A la vuelta de la esquina, encontré la causa de los aullidos.

Un gato negro, atrapado dentro de una de las jaulas.

Tenía pelo corto y grandes ojos amarillos. Los dedos de sus patas delanteras eran muy abundantes.

"Tu ayuda será muy apreciada," dijo el gato, "es decir, por favor ayúdame a salir de esta jaula."

"¡Tú hablas!" grité.

"Solo cuando hay algo que valga la pena decir," respondió el gato, alegre con su propia respuesta tan astuta.

"Mi nombre es Artie," continuó, "Artie, el gato."

"Soy Zac," respondí, "Zac...el niño. Tienes las patas más grandes que he visto en cualquier gato."

"Soy un gato polidáctilo," dijo Artie, "es decir, tengo más dedos de los habituales. Pertenezco a una tribu de gatos excepcionalmente escasos y especiales."

El gato levantó una de sus patas para que yo la pudiera ver más de cerca. Tenía seis dedos. Los cuales hacían que sus patas delanteras parecieran guantes.

Busqué a mí alrededor por una llave para abrir la cerradura, pero no encontré ninguna.

Coloqué mi rama y mi antorcha sobre el suelo. Traté de abrir la puerta de la jaula con mis manos, pero estaba hecha de acero. No se abrió, por más fuerte que traté. "¿Por qué estás dentro de esta jaula?" pregunté.

"Un duende me encerró," dijo Artie, "quiere mantenerme aquí como su prisionero. Se refirió a mí como su gato negro de la suerte."

"Eso es terrible," le respondí. "¿Dónde está el duende ahora?"

"Fue a buscar más criaturas para encarcelar," adivinó Artie, "la llave de la jaula está en el estante junto al caldero."

Deslizó su pata entre los barrotes de la jaula y señaló hacia un estante detrás de mí.

Siguiendo el gesto del gato, miré hacia atrás.

De inmediato encontré el estante. Estaba junto a una olla grande con agua hirviendo, encima de un fuego.

Corrí al estante y tomé las llaves. Estaban unidas por un pequeño anillo de metal.

"Una llave para cada jaula," supuse.

Ligeramente encontré la llave correcta y abrí la puerta. Artie saltó de la jaula y me lamió la mejilla. Era su forma de mostrar gratitud.

Cuando comenzamos a salir de la cueva, escuchamos el sonido de unos pies golpeando contra el suelo de forma muy fuerte.

"Oh no," dije, "parece que el duende ha regresado. Estamos atrapados aquí adentro."

No podíamos salir de la cueva mientras el duende bloqueaba la entrada. Necesitaba un plan.

¿Qué podría hacer para espantar al duende? Me concentré por unos segundos hasta que recordé las gallinas salvajes y el estofado de baratijas de papá. Fue lo suficientemente poderoso como para expulsar a las gallinas de la cocina.

Si cocino el estofado aquí, dentro de esta cueva, pensé, olería tan mal que el duende no tendría más remedio que huir del olor. Eso nos daría un momento para escapar.

"¡Deberemos usar ese caldero para hacer un estofado de baratijas!" anuncié.

Ya había observado a papá preparar su estofado un par de veces. Sólo necesitaba recordar la lista de ingredientes.

Me di unos golpecitos en la frente con el dedo, intentando mejorar mi memoria.

Finalmente, recordé la receta: "Platos sucios y calcetines malolientes, verduras podridas y bloques de madera. El maletín viejo de una rana y un poco de repollo prestado, revuélvelos en agua hirviendo, sopla sobre el fuego y caliéntalo un poco más."

"Eso ni siquiera tiene sentido," dijo Artie.

"Confía en mí," le dije. "¡Este truco funciona!"

Buscamos los ingredientes entre toda la basura.

Había muchos platos sucios por todas partes. Era obvio que al duende no le gustaba lavar sus platos después de comer. Colocamos unos platos sucios en el caldero.

Mis calcetines olían un poco mal. Los había usado durante mucho tiempo este día. Me quité un calcetín y lo arrojé a la mezcla.

Afortunadamente, había mucha verdura podrida tirada

por todo el suelo, incluyendo el repollo.

Uno de los asientos en la cueva tenía patas hechas de bloques de madera. Desarmé una de las patas y la agregué al estofado.

"¿Dónde vamos a encontrar un maletín viejo de una rana?" pregunté. "Me encontré con un par de ranas esta mañana, pero no cargaban ningún equipaje."

"Podemos usar *mi* maletín," dijo Artie.

"¿Tú...tienes un maletín?" le pregunté con una mirada confusa.

"Lo uso para cargar mi hierba gatera cuando viajo," agregó el gato, "no veo ninguna rana viajando por aquí, así que mi maletín tendrá que ser suficiente."

Agregamos el maletín de Artie a nuestro estofado de baratijas, y soplamos suavemente contra las llamas.

"Ahora esperamos," le dije.

Al principio, nada ocurrió, pero después de unos minutos, el olor más espantoso, apestoso y terrible comenzó a salir del caldero.

Levanté mis manos hacia mi rostro y me tapé la nariz.

El olor viajó hasta donde descansaba el duende.

"¡¡Ewwww!!" chilló el duende. "¡Qué olor tan repugnante!" y salió corriendo, abandonando la cueva.

"Es nuestra oportunidad para escapar," le dije a Artie.

Ligeramente salimos corriendo de la cueva y regresamos al bosque.

Sentí curiosidad. Quería ver más de cerca al duende. Nos escondimos detrás de unos árboles y esperamos a que el duende regresara.

Nuestro adversario regresó demasiado rápido. El olor de mi estofado se estaba desvaneciendo mucho más rápido que cuando mi papá lo preparaba.

"¡Sabía que necesitábamos el maletín viejo de una rana!" dije. "¡El maletín de gato simplemente no carga el olor tan lejos!" ya estaba comenzando a actuar sin sentido, como papá.

El duende se detuvo frente a la cueva. Y finalmente pude verlo con claridad.

De hecho, era una criatura de aspecto extraño. No era mucho más alto que un niño. Sus pies descalzos eran mucho más grandes de lo que normalmente se necesita para un cuerpo tan pequeño. Su ropa estaba vieja y rota. Tenía brazos largos y delgados que se extendían casi hasta sus pies.

Su rostro estaba formado por una nariz enorme con dos ojitos diminutos a cada lado. Sus grandes orejas probablemente le otorgaban un buen sentido del oído.

Justo en ese momento, el duende se volvió y miró en nuestra dirección, como tratando de localizar un sonido.

"PRRR," Artie estaba frotando sus bigotes contra mi pierna y ronroneando muy fuerte. Su ronroneo llamó la atención del duende.

"Artie," susurré, "deja de ronronear ahora mismo."

Pero ya era muy tarde. El duende nos había visto y comenzó a correr hacia nosotros.

"¡CORRE, ARTIE! ¡CORRE!"

Ambos corrimos rápido por del bosque, en la dirección de nuestro castillo.

El duende nos persiguió. Sus enormes pies anunciaban su ubicación con cada pisotón.

Al salir del bosque, nos reunimos con Alex, mi caballo mecánico, que aún estaba esperando para llevarnos de regreso a un lugar más seguro. Desaté sus riendas con rapidez.

Comenzamos a cabalgar por los campos de flores silvestres, de regreso hacia nuestro castillo.

Artie corría a mi lado. Sus piernitas no eran lo suficientemente rápidas como para superar al duende.

Dirigí a Alex hacia Artie, lo levanté con mi mano libre y lo tiré sobre mi hombro. Artie comenzó a ronronear de nuevo.

"Agárrate fuerte Artie," grité. "¡Ya casi llegamos!"

El castillo ya estaba a la vista.

A medida que nos acercábamos, el puente levadizo se abrió. Papá caminaba muy resuelto en nuestra dirección.

Mientras tanto, los pasos del duende se sentían cada vez más cerca. Ya estábamos casi a su alcance.

Papá reveló una olla que escondía detrás de él. Arrojó los líquidos que traía en la olla hacia arriba, por encima de mí y directamente sobre el duende. El estofado de baratijas cubrió al duende y lo tiró al suelo. Terminando así su estampida.

"¡Toma un poco de estofado!" le gritó papá al duende.

"¡Sí!" grité.

Con la llegada oportuna de papá, ya estábamos a salvo.

Me sentí aliviado y agradecido.

"GAHH..." murmuró el duende mientras trataba de ponerse de pie. "¿¡Qué terrible hechizo es este!?"

Trató de levantarse de nuevo, pero el caldo del estofado era tan pegajoso que lo mantuvo pegado al suelo.

Al darse cuenta de que ya estaba derrotado, se arrastró torpemente hacia el bosque, murmurando algo sobre una venganza.

"Eso le enseñará a ir tras mi hijo," dijo papá.

"¿Cómo supiste que estábamos en problemas?" pregunté.

"¡Las hadas del bosque y yo siempre estamos en contacto! Ellas siempre están observando, siempre están escuchando..." comenzó a quedarse dormido, pero luego se compuso y continuó, "...ellas vinieron a advertirme."

Lancé mis brazos alrededor de papá y le di un gran abrazo.

"Ahora dime," continuó papá. "¿Tu nuevo amigo, se queda a cenar?"

A finales de verano, el bosque se había transformado por completo. Las hojas de los árboles caían de manera continua sobre el suelo. Formando una alfombra de colores rojos y amarillos alrededor de la base de cada árbol.

Artie y yo caminamos por las orillas del bosque, recogiendo leña para nuestra chimenea. Yo empujaba una carretilla mientras que Artie rebotaba al azar detrás de mí.

"¿Qué estás haciendo?" le pregunté a Artie al ver que se arrojó contra una enorme pila de hojas.

"Parece que percibí un roedor," respondió. "Es decir, pensé que vi a un ratón."

"¿Ah sí?" dije con una sonrisa cínica. "No puedes dejar pasar la oportunidad de saltar sobre un montón de hojas. Te comprendo."

Artie, tras comer toda la comida que cocinaba mi papá, se había vuelto muy gordito. Y aunque hubiera visto un ratón, él estaría demasiado lento como para hacer algo al respecto.

Artie continuó jugando con su pila de hojas mientras yo recogía más leña para la chimenea.

De repente, desde las profundidades del bosque, una pequeña luz se dirigió hacia mí.

"Las hadas," dije suavemente.

"Ya viene el duende," dijo una de las hadas.

"Quiere lo suyo," dijo otra hada, señalando a Artie.

"Perdóname," dijo Artie, "pero no soy pertenencia de nadie. Me pertenezco a mí mismo."

"Quiere su gato de la suerte," dijo la primera hada.

"Ha reunido a su ejército," continuó una nueva hada, "no les irá tan bien contra tantos duendes."

"Están advertidos," dijo otra hada.

Las hadas tenían la costumbre de tomar muchos turnos al hablar. Esto me dejaba un poco desorientado durante nuestras pláticas.

"Estarán aquí por la mañana," dijo la primera hada.

"Gracias por avisarnos," les agradecí.

Las hadas volaron a lo alto y desaparecieron entre las copas de los árboles.

Artie y yo corrimos de regreso a casa. Encontramos a papá leyendo diligentemente en su sala de estudio.

"Aliento de lagarto," murmuró papá. "¿Cómo se supone que lograré almacenar el aliento de lagarto?"

Papá nos miró. Pudo ver por la preocupación en nuestros rostros que algo andaba mal. Dejó su libro y corrió hacia nosotros.

Compartimos con él lo que nos dijeron las hadas, y le contamos que solo teníamos una noche para prepararnos para el regreso del duende.

"No hay necesidad de preocuparse," dijo papá. "Usen este castillo, usen los artefactos que contiene y el conocimiento que han reunido para defendernos de los duendes."

Artie y yo hicimos exactamente lo que papá nos dijo. Ideamos un plan y nos preparamos para defender nuestro hogar del ejército invasor.

A la mañana siguiente, me desperté temprano y subí a la torre del castillo. Quería ver al ejército de duendes tan pronto como saliera del bosque. Artie y papá pronto se unieron a mí junto a la ventana de la torre.

Momentos después, el primero de los duendes apareció de entre los arbustos. Era el líder de la banda. No habíamos tenido un buen encuentro durante la última vez que nos vimos. Esperaba que nuestro primer encuentro fuera también el último. No tuve tanta suerte.

El duende me vio en la ventana de la torre.

"QUIERO MI PERTENENCIA DE VUELTA," gritó.

Su voz resonó por los pasillos del castillo. Debo admitir que estaba asustado. Esta vez el duende estaba mucho más enojado.

Instintivamente, me escondí detrás de la pared. Respiré profundo, calmé mi miedo y volví a mirar por la ventana.

Esta vez, vi toda la banda de duendes, montados sobre los lomos de unas bestias que parecían cerdos de gran tamaño.

"Jabalíes salvajes," explicó papá, uniéndose a mí ante la ventana, "son criaturas amigables por lo general, pero pueden ser bastante hostiles cuando se les provoca."

Sus monturas, con cuernos agudos y correas de cuero, los hacían verse mucho más malignos.

"Recuerden," papá nos tomó entre sus brazos, "los duendes son crédulos, torpes y se asustan fácilmente. Y ustedes tienen un plan."

Nos dirigimos hacia el puente levadizo del castillo.

Papá abrió la puerta.

Artie y yo tomamos nuestras posiciones bajo el arco.

"Regresen a sus hogares," les grité a los duendes. "Artie no es pertenencia de nadie. Él es su propia persona y elige quedarse aquí, con nosotros."

"ES MÍO," gritó el duende.

"Ya están advertidos," continué, "somos magos muy poderosos."

"Sí, yo recuerdo," dijo el duende, "tus hechizos apestosos no van a derribarnos a todos. Y sabemos que el dragón no está. Nada aquí te protegerá."

El duende tiró de las correas entre sus manos con fuerza, su jabalí comenzó a cargar hacia nosotros. Los otros duendes lo siguieron.

Artie y yo corrimos hacia la banda de duendes.

"Con este cristal invoco la lluvia de ranas tóxicas," anuncié, y saqué una piedra de mi bolsillo. Era una piedra común de color azul que encontré en uno de mis paseos. La sostuve en alto para que todos los duendes pudieran verla.

Justo en ese momento, Artie saltó en medio de uno de los cráteres formados por las huellas de dragón y yo corrí a través de un cráter diferente.

Un ejército de ranas desorientadas y alarmadas saltó de sus escondites.

Las ranas saltaron en todas direcciones y crearon pánico entre los duendes.

"Lo siento mucho ranitas," me disculpé en voz baja con ellas.

La confusión y el pánico, creado por la huida de las ranas, derribó a los duendes de sus monturas.

Los jabalíes, los cuales no tenían ninguna disputa con nosotros, simplemente corrieron de regreso hacia el bosque.

En seguida vi un par de hadas acercándose a los jabalíes. Les ayudaron a quitarse las horribles monturas de sus espaldas.

"GAAAHH," gritó uno de los duendes tras ser golpeado por una rana. "¡Me han envenenado!"

"Váyanse ahora mismo," les repetí.

Algunos de ellos obedecieron. Se dispersaron por todas partes mientras se limpiaban el rostro y los brazos, creyéndose envenenados por las ranas.

Para este grupo de duendes, el incidente fue suficiente emoción por un día.

El resto de los duendes, sin embargo, se quedaron. No fue tan fácil persuadirlos que abandonen su misión.

"No me iré de aquí sin mi pertenencia," dijo el líder de los duendes.

"Entonces no me dejan otra opción," le contesté. "Invocaré a las gallinas gigantes, las defensoras de estas tierras."

Señalé hacia una de las huellas de dragón en el barro, y confié que los duendes la confundirían con huellas de gallinas gigantes.

"Miren con sus propios ojos," hice un gesto.

El miedo y la vacilación marcaron los rostros de los duendes. Unos cuantos retrocedieron un par de pasos, mientras los demás se mantuvieron firmes, como para exigir más pruebas.

"Desencadenen a las gallinas gigantes," continué.

Al principio, se escucharon los sonidos fuertes: CLOQUEO. CLOQUEO. ARRULLO. ARRULLO. SOLAPA. SOLAPA. SOLAPA.

Luego, por detrás del castillo, aparecieron las gallinas más gigantes que jamás me haya imaginado, y comenzaron a marchar hacia nosotros.

¡La bocina y el enorme espejo funcionaron!

Mientras Artie y yo ejecutamos nuestra primera ronda de trucos, papá logró espantar a las gallinas desde la cocina, hacia nuestro escenario preparado.

La bocina amplificó los ruidos de las gallinas, mientras que el espejo las hizo verse muy altas, como gigantes.

"Por los guardianes de las gallinas gigantes - funcionó," dije. Ahora definitivamente yo ya estaba hablando sin sentido, como papá.

Los duendes restantes echaron un vistazo a las gallinas gigantes reflejadas en el espejo y comenzaron a retirarse. Corrieron de regreso hacia el bosque, tropezando torpemente el uno con el otro.

Su líder intentó detenerlos en posición, pero no tuvo éxito.

El líder de los duendes, ahora ya sin su ejército, no se quiso enfrentar a nosotros por sí mismo. Se dio la vuelta y corrió a reunirse con ellos en el bosque.

"En el futuro, se lo pensarán dos veces antes de volver a asomarse por aquí," dijo papá. "¡Bien hecho! Estoy orgulloso de ustedes dos. Su plan derrotó a los duendes."

Los tres de nosotros mantuvimos la vista sobre los duendes. Los vimos huir hasta desaparecer en las sombras.

Las gallinas ya iban de regreso nuevamente hacia la cocina.

Papá volvió a entrar al castillo.

Artie y yo nos quedamos afuera un poco más. Queríamos estar seguros de que el peligro realmente había pasado.

"Los problemas se van volando," dijo Artie, "es decir, parece que ya es seguro volver a entrar."

"Sí," suspiré.

La sugerencia de Artie de cosas que van volando me recordó del globo de aire caliente.

"¿Por qué los bajos ánimos?" preguntó Artie.

"Las vacaciones de verano están casi por terminar," le contesté. "Tenemos que volver a San Francisco muy pronto."

El último día de vacaciones, nos reunimos frente al castillo; papá, Artie y yo. Nuestro globo ya estaba listo para llevarnos de regreso a San Francisco. Nuestro equipaje estaba guardado dentro de la cesta. El globo lleno de aire.

"¡Así concluye nuestra aventura!" dijo papá.

"Ojalá no tuviéramos que irnos," me quejé.

Me había encariñado con este lugar. Extrañaré el castillo, con sus artefactos y habitaciones secretas. Extrañaré el bosque y las hadas. Incluso echaré de menos a las gallinas.

"Mira hacia arriba," dijo Artie, "es decir, ya vuelve."

Esmeralda volaba por el cielo anaranjado del atardecer, seguida por sus cinco dragoncitos pequeños.

Todos aterrizaron en los campos de flores silvestres frente al castillo. El peso de sus cuerpos hizo que sus pies se hundieran un poco en el barro, creando cráteres nuevos donde podrán vivir más ranas.

Papá y Esmeralda se despidieron.

No es fácil decirle adiós a los buenos amigos, especialmente cuando no los volverás a ver por mucho tiempo.

Afortunadamente, Artie y yo no tuvimos que despedirnos hoy.

"No estoy familiarizado con estos juegos de video y la crema congelada," dijo Artie. "Tengo muchas ganas de lamer la crema de helado cuando regresemos a tu hogar."

"¡Entonces te espera una verdadera aventura, amigo!" le contesté. "Y ahora es *nuestro* hogar."

Habiéndose encariñado tanto por mí como yo por él, Artie decidió regresar a San Francisco con nosotros.

Incluso, prometió nunca hablar ante otros humanos.

En cuanto a mí, después de sobrevivir esta aventura, nunca más volví a dudar de las historias de papá.

SOBRE EL AUTOR

JUDEH SIMON escribe e ilustra aventuras divertidas, llenas de acción y personajes extravagantes. También es un padre que recoge muchos calcetines sucios. Como ingeniero industrial y artista de videojuegos, él suele mantener un pie en este mundo y el otro en el mundo de la imaginación. Su pasión por la narración nunca se disminuye. Él pasa sus días dibujando y escribiendo desde su casa en California mientras intenta mantener a su gato alejado del teclado de la computadora.

Made in the USA
Columbia, SC
10 March 2021